D'après l'œuvre de Patrick Sobral

LES LÉGENDAIRES

Héros du futur

hachette JEUNESSE

DANAËL

Le chevalier du royaume de Larbos est le chef des Légendaires. Son épée d'or est au service de la justice et a été forgée dans le monde elfique.

GRYF

L'homme-bête aux griffes capables d'entailler la roche est le meilleur ami de Danaël. Courageux et impulsif, il s'attire souvent des ennuis !

JADINA
La princesse magicienne a une grande maîtrise des sortilèges. Mais c'est aussi une enfant gâtée souvent insupportable !
RAZZIA
Le colosse de Rymar a une force hors du commun. Très loyal envers le groupe, il protégera toujours les Légendaires.
SHIMY
Cette elfe élémentaire est capable de fusionner avec l'eau et la terre. D'apparence réservée, elle n'hésite pourtant pas à dire ce qu'elle pense !

Comment tout a commencé...

Dans les montagnes de Shiar, s'élevait la plus étrange et maléfique des demeures : un château appelé Casthell. Encore plus étrange et maléfique était son propriétaire, craint et connu de tous sous le nom de Darkhell, le sorcier noir. Son ambition démesurée était de dominer le monde d'Alysia grâce à ses terribles pouvoirs magiques.

Mais ses plans de conquête étaient sans cesse déjoués par cinq justiciers incarnant les plus belles valeurs du monde d'Alysia : le courage, l'intelligence, la noblesse, la force et la pureté. On appelait ces héros les Légendaires !

Chaque nouvelle défaite affaiblissait Darkhell qui sentait sa fin proche. Il décida alors d'utiliser l'une des six pierres que les dieux avaient créées pour donner naissance à Alysia : la pierre de Jovénia. Elle devait lui permettre de retrouver la force de sa jeunesse.

Mais encore une fois, les Légendaires intervinrent et c'est alors que l'irréparable se produisit ! Pendant le combat, la pierre de Jovénia tomba... et se brisa. Darkhell reçut de plein fouet l'onde de choc magique et fut instantanément terrassé. Même le sombre château ne put contenir la formidable énergie de la pierre qui déchira le ciel des montagnes de Shiar, avant de recouvrir de sa lumière la surface du monde d'Alysia.

Un étrange phénomène se produisit alors : les habitants d'Alysia, tous sans exception, se mirent à rajeunir au point de redevenir des enfants !

Les Légendaires, malgré leurs pouvoirs, partagèrent le même destin que les autres qui les désignèrent comme seuls responsables du sortilège maudit. Chassés du royaume, ils décidèrent de mettre un terme à leur union et chacun partit vers sa nouvelle vie. C'était la fin d'une ère, la fin d'une époque...

RÉSUMÉ DU TOME PRÉCÉDENT

Le prince Halan et le maléfique Ceydeirom ont trouvé la Temporhell, la machine à remonter le temps créée par Darkhell... Pour les empêcher de changer l'histoire, les Légendaires les suivent dans le passé ! Mais dans le tunnel du temps, une étrange silhouette les bouscule et les sépare. Danaël, Shimy et Gryf se retrouvent face à... Danaël adulte ! À quelle époque ont été emmenés Jadina, Razzia et leurs deux ennemis ?

CHAPITRE 1

L'antre du sorcier

Jadina flotte au cœur des ténèbres. Une multitude de petites lumières blanches viennent tournoyer autour d'elle, et l'obscurité se fait moins profonde.

— Jadina ! Jadina !

L'appel semble venir de très loin. *Danaël ?*

— Réveille-toi, Jadina ! insiste la voix.

Lentement, la magicienne reprend conscience, mais elle n'a pas envie d'ouvrir les yeux.

— Allez, ce n'est plus le moment de dormir ! Réveille-toi, Jadina ! lui ordonne la voix.

Jadina cligne des yeux.

— Danaël ?... C'est... bien toi ? murmure-t-elle, le regard encore brouillé par le sommeil.

— Oublie le chevalier Danaël ! déclare le prince. Il n'y a plus que moi.

— Halan ? s'étonne Jadina.

En reconnaissant son ancien prétendant, elle sent la fureur l'envahir.

— Fiche le camp ! s'écrie-t-elle en le repoussant violemment.

Une grosse main se pose sur son épaule.

— Du calme !

— Comment ? Quelqu'un d'autre veut goûter de mon poing ? dit la magicienne, menaçante.

— Z'veux bien, mais z'crois pas qu'il aurait bon goût ! se moque le nouveau venu avec un grand sourire.

— Razzia ! s'exclame Jadina en reconnaissant son compagnon.

Elle regarde autour d'elle. L'endroit est sombre, et elle ne distingue pas grand-chose.

— Mais où sommes-nous tombés, Razzia ?

— Aucune idée ! Il fait noir comme pas pozzible ! répond le colosse.

— Je crois pouvoir remédier à ce petit problème, déclare Ceydeirom, le pirate.

— Il est là aussi, celui-là ? s'emporte la princesse.

— Du calme, Zadina ! Ze le zurveille depuis qu'on est arrivés !

— Votre ami a raison, princesse ! dit le pirate. Inutile d'en venir aux mains tant que nous ne savons pas où le tunnel du temps nous a déposés.

Il actionne un mécanisme situé sur sa tempe, et son œil rouge se met à luire, éclairant quelque chose…

— La Temporhell ! s'écrient les trois compagnons en reconnaissant l'autel surmonté du loup et du dragon de cristal.

La machine trône au milieu du laboratoire du sorcier noir.

— Ha ! Ha ! Nous zommes revenus au point de départ ! Nous n'avons pas remonté le temps ! Alors ? Qui z'est qui a l'air d'un idiot ? se moque Razzia.

— Eh bien, je crois que c'est toi, Razzia ! réplique Jadina.

— Comment ?

— Regarde plus attentivement... et tu verras que l'endroit est intact, contrairement à celui que nous avons quitté ! explique la princesse. Nous sommes bien dans le passé !

— Ha ! Ha ! Ha ! Je le savais ! Mon plan était infaillible ! exulte Ceydeirom. Je vais pouvoir récupérer Sygiga, ma bien-aimée !

— Et moi, ma Dina ! renchérit le prince Halan. On a réussi !

— Heu... Ze ne voudrais pas mettre mon grain de zel dans zette hiztoire, dit Razzia, mais zi on est bien à la date à laquelle Zadina a rencontré Danaël, est-ze que ze château n'est pas zenzé être encore habité par...

— D... Darkhell ?! bredouille Jadina.

— Oui, z'est za ! Darkhell ! T'as lu dans mes penzées ? Non mais t'imazines ? Il ne manquerait plus qu'il ze pointe !

— Non ! hurle la magicienne.

Elle désigne du doigt la sinistre silhouette qui s'avance dans le dos de son compagnon.

— Darkhell ! Il est derrière toi !

D... DARKHELL ?!
OUI, Z'EST ZA ! DARKHELL ! T'AS LU DANS MES PENZÉES ??
NON MAIS T'IMAZINES ? MANQUERAIT PLUS QU'IL ZE POINTE !!

CHAPITRE 2

L'enlèvement de Jadina

Pendant ce temps, Danaël, Shimy et Gryf, eux, sont tombés nez à nez avec Danaël adulte, qui est le lieutenant des Faucons d'Argent. Les trois Légendaires sont pétrifiés par cette rencontre.

Le Faucon d'Argent vient de trouver l'épée d'or de Danaël dans un fourré. Il éclate de rire devant la surprise des trois enfants.

— Eh bien, vous en faites une tête ! C'est l'armure, c'est ça ? Ouais, ouais, je sais… Ça impressionne toujours !

— Danaël ! murmure Gryf à son ami. C'est... c'est toi ! Là, en plus vieux !!

— Tiens, reprends ton épée, gamin ! dit le Faucon d'Argent en rendant son arme au Légendaire.

— Mais oui ! chuchote Danaël. Mon épée réagit à mon sang, c'est pour ça que j'en ai perdu le contrôle en arrivant à cette époque. Elle a été attirée par mon « moi » adulte !

— Dites-moi, les enfants, je vous ai bien vus tomber du ciel, non ? remarque le lieutenant des Faucons d'Argent. J'ai même cru voir une sorte de serpent lumineux…

— Heuuu... bredouillent les trois compagnons.

— Et si vous m'expliquiez tout ça ?

— Écoutez, heu... chevalier ! Le temps presse ! déclare Danaël. Votre campement va bientôt être attaqué. Il faut que vous soyez sur place pour protéger la princ...

Soudain, une corne de brume retentit dans la forêt.

— C'est l'alerte ! s'écrie le Faucon d'Argent. Le campement est en danger ! Bon ! Ne bougez pas d'ici, les enfants ! Je ne sais pas ce qui se passe,

mais c'est l'affaire d'un homme… un vrai !

— J'étais vraiment prétentieux… se désole Danaël enfant.

Alors que le Faucon d'Argent enfourche sa monture, les trois compagnons s'élancent vers le camp menacé.

— Mais qu'est-ce que vous fichez ? s'écrie le lieutenant. N'allez pas par là ! C'est la direction du campement !

— Danaël ! Je commence à trouver ton « moi » du passé assez relou, tu sais ! dit Gryf en se mettant à courir.

— Ça m'embête de le reconnaître, mais je suis d'accord avec toi, soupire le Légendaire. D'ailleurs, tant qu'on y est, appelez-moi Dan en sa présence ! Évitons de compliquer cette histoire encore plus !

— Dan ? Comme c'est original ! se moque Shimy.

Ils débouchent enfin dans une clairière. Plusieurs tentes du campement sont enflammées. Les Faucons d'Argent se battent contre de grandes créatures volantes aux corps lisses et fuselés.

— Une attaque de darkhellions ! s'écrie Dan. Ils sont venus pour Jadina et son bâton-aigle !

— Jadina est quelque part ici ? s'étonne Shimy.

— Du moins sa version adulte, précise Gryf.

— Mais vous êtes inconscients ! s'exclame le lieutenant des Faucons d'Argent en les rattrapant. Un champ de bataille n'est pas un endroit pour des gosses ! Non mais j'vous jure… Aucune éducation !

Puis il s'élance dans la mêlée.

— Heu... on fait quoi, maintenant ? demande Gryf.

— On l'aide à protéger Jadina, tiens ! répond Dan.

Shimy retient son ami.

— Doucement, les gars ! Si on fait ça, on risque de changer le futur, non ? Je croyais qu'on était justement venus pour éviter ça !

— Hélas, c'est trop tard ! réplique Dan. En arrivant à cette époque, nous avons déjà empêché l'autre moi d'être présent au moment de l'attaque ! À nous de recoller les morceaux en nous assurant qu'il fasse bien connaissance avec Jadina !

— C'est comme si on arrangeait un rencard ! se réjouit Shimy.

Pendant ce temps, le lieutenant Danaël a rejoint les Faucons d'Argent et organise la défense du camp. Sautant de sa monture, il terrasse

un darkhellion qui s'apprêtait à attaquer son frère.

— Surveille tes arrières, Ikaël !

— Danaël ! Où étais-tu passé ? s'agace le commandant de la compagnie. Tu étais censé monter la garde devant la tente de la princesse Jadina !

— Oh, ça va ! Je viens de te sauver la vie ! réplique le lieutenant des Faucons d'Argent, exaspéré. Quand est-ce que tu vas me lâcher ?

— Quand tu comprendras que les ordres que je donne sont faits pour être suivis !

— Au lieu de vous disputer comme des imbéciles, faites attention aux aiguillons que projettent ces créatures ! les interrompt Dan. Ils transforment les gens en monstres au service du mal. Mes compagnons et moi, nous nous chargeons de protéger la princesse Jadina !

— Mais... c'est qui ces mômes ? demande Ikaël en regardant les Légendaires traverser le champ de bataille.

— Je ne sais pas... Je les ai croisés dans les bois avant l'alerte.

— Marrant ! Le blond, on dirait toi au même âge, remarque le commandant.

— Si ma mémoire est bonne, voici la tente de Jadina ! déclare Dan.

Il s'est faufilé entre les combattants jusqu'à un abri recouvert d'une tenture colorée.

— Gardez l'entrée, mes amis ! Moi, je vérifie si elle va bien !

Mais dès qu'il met le pied dans la tente, deux gardes de Sabledoray s'interposent, menaçants.

— Halte ! Personne n'a le droit d'entrer ici !

— Depuis quand les soldats de mon fiancé menacent-ils des enfants ?

s'emporte alors la princesse Jadina, en écartant le rideau qui la sépare de l'entrée. Baissez vos armes !

Dan est stupéfait à la vue de la magicienne, dont il avait presque oublié la beauté.

— Restez cachée, Votre Altesse ! lui dit l'un des gardes. Le prince Halan a ordonné que vous ne vous montriez à personne durant ce voyage, pas même aux Faucons d'Argent !

— Contrairement à vous, je n'ai pas d'ordre à recevoir d'Halan ! lance Jadina avec fierté, frappant son bâton-aigle sur le sol recouvert de tapis précieux. Ces hommes risquent leur vie en me protégeant de ce qui est sans doute une nouvelle tentative d'enlèvement orchestrée par Darkhell ! Alors je ne vais pas rester sans rien faire !

Profitant d'un instant de flottement parmi les gardes, Dan s'avance et pose un genou au sol.

— Heu... Princesse, mieux vaut ne pas sortir d'ici, croyez-moi ! Je ne mets pas en doute votre courage, mais...

— Tout le monde à terre ! hurlent Gryf et Shimy en sautant à l'intérieur de la tente.

L'instant suivant, l'abri est mis en lambeaux par un darkhellion qui a senti la présence de la princesse. Avant que quiconque n'ait le temps de réagir, la créature crache sur Jadina une substance épaisse et collante qui se cristallise instantanément, emprisonnant la magicienne dans un cercueil de glace transparent.

Empêtrés dans les tentures qui se sont effondrées, les Légendaires

n'ont pas le temps d'intervenir. Le darkhellion referme ses griffes sur sa prisonnière et l'emporte dans les airs.

— Qu'est-ce qui s'est passé, ici ? s'écrie Danaël adulte. Les monstres repartent !

— Ils ont la princesse Jadina ! répond Dan à son double.

— Dans ce cas, je vais la récupérer ! décide le Faucon d'Argent en sautant sur sa monture.

— Danaël, attends ! Nos ordres sont clairs ! lui rappelle Ikaël. En cas d'échec de la mission d'escorte, nous devons rentrer directement à Larbos !

— Justement ! Si je parviens à la sauver des griffes de Darkhell, la mission ne sera pas un échec, réplique le lieutenant avec assurance.

— Danaël, descends de ce culbutar ! C'est un ordre ! déclare fermement Ikaël. Si tu pars, ce ne sera pas la peine de revenir parmi les Faucons... car tu n'en feras plus partie !

— Alors qu'il en soit ainsi, mon frère ! répond gravement le lieutenant. « Vérité et justice au-dessus de tout » ! C'est la promesse que nous avions faite, enfants. Mais il semble que tu aies fini par l'oublier.

— Danaël, ne fais pas quelque

chose que tu pourrais regretter... insiste son frère.

— Désolé, mais j'ai choisi de suivre un idéal. Assez des ordres dictés par la politique !

Puis Danaël l'insoumis, redevenu simple chevalier, se tourne vers Dan le Légendaire et lui tend son bouclier portant l'emblème argenté de sa compagnie.

— Je te l'offre, petit ! Tu feras sans doute un meilleur Faucon d'Argent que moi !

— Mais...

Le chevalier se détourne et part en chasse du darkhellion qui, déjà, disparaît à l'horizon.

— Je vais sauver la princesse Jadina ! Adieu, mes compagnons ! lance-t-il en filant comme une flèche.

CHAPITRE 3

La fille du sorcier noir

Après l'attaque des dark-hellions, les trois Légendaires se concertent.

— Hum... C'est quoi, la suite ? demande Gryf.

— On le suit et on lui donne un coup de main, bien sûr ! répond Dan.

— Mais comment ? Il a un culbutar, et nous, on est à pied ! lui fait remarquer Shimy.

— Je crois que j'ai la solution.

Dan jette le bouclier face contre terre, monte dessus et passe son pied dans la sangle.

— Bon, accrochez-vous bien à moi, tous les deux !

— Heu... Tu crois vraiment que tu arriveras à courir plus vite avec un bouclier aux pieds ? se moque Gryf, pas vraiment convaincu par l'idée.

— Accroche-toi, et tu vas voir.

Alors que ses deux compagnons le tiennent fermement par la taille, Dan prend son épée d'or et la pointe dans la direction de son double, qui a déjà disparu au loin.

— Prêts, les amis ? Épée d'or, suis l'appel de mon sang !

L'arme magique se met à vibrer, puis à les tirer vers l'horizon. Le bouclier glisse de plus en plus vite, entraîné par la force de l'épée. Bientôt, il vole au-dessus du sol !

— Vous voyez ! On va le rattraper en un rien de temps ! fanfaronne le Légendaire, tandis que ses deux amis hurlent de peur.

Loin devant, le chevalier Danaël a rattrapé le darkhellion qui avance lentement en portant sa prisonnière.

— Allez, mon brave Tornadion ! lance-t-il à son culbutar. Encore un petit effort, nous les avons presque rattrapés !

Mais alors qu'il regarde le ciel, le sol se dérobe sous les pattes de sa monture. La route, qui se termine en

cul-de-sac, s'ouvre sur un précipice vertigineux !

— Mais qui est-ce qui m'a fichu un culbutar aussi bête ? hurle le guerrier en basculant dans le vide.

Puis, tentant le tout pour le tout, il prend appui sur la croupe de sa monture et se propulse vers le darkhellion en brandissant son épée en avant. La lame s'enfonce dans le bloc de glace qui retient Jadina prisonnière. Il pousse un soupir de soulagement en regardant le paysage défiler sous ses pieds, solidement agrippé à sa prise. Mais, au même moment, l'épée d'or de Dan vient se planter dans le bloc de glace, juste à côté de sa joue.

— Encore vous ? chuchote-t-il afin de ne pas attirer l'attention de la créature volante. Mais qu'est-ce que je vous ai fait ?

— C'est... l'épée ! répond le Légendaire. Pas ma faute !

—J'veux rentrer chez nous ! gémit Shimy en s'agrippant à la queue de jaguarian de Gryf. Même Jadina me manque ! Hé, c'est quoi ça ?

Tous lèvent les yeux pour apercevoir une gigantesque forteresse volante dont la proue démoniaque émerge des nuages. Le navire magique fait plusieurs centaines

de mètres de long et défie les lois de la pesanteur.

— Ouais, c'est quoi, cet engin ? s'étrangle Gryf. On n'a jamais croisé un truc comme ça, avant !

— Quelle importance ? Il n'y a qu'à voir la proue pour savoir à qui ça appartient… répond Dan. À notre bon vieux Darkhell !

— Regardez, les darkhellions entrent à l'intérieur ! remarque Shimy. D'ailleurs, ils ne sont plus que six... Il y en avait sept, non ?

Alors qu'ils regardent autour d'eux, la septième créature s'est glissée sournoisement dans leur dos… et passe à l'attaque ! Les quatre compagnons tombent dans le vide et glissent le long de la coque de la forteresse volante. Ils sont projetés à l'intérieur du bâtiment volant à travers l'une des grandes ouvertures

qui servent de pistes d'envol aux darkhellions.

— Aïe ! Je croyais qu'on n'avait plus mal quand on était mort ?! ronchonne Shimy en se frottant les reins.

Après avoir dégringolé une série d'escaliers, les quatre compagnons se retrouvent dans une grande salle. L'endroit semble avoir été taillé dans la roche, et partout une mousse verdâtre tapisse les parois.

— Je vais te décevoir, Shimy... mais je crois bien qu'on est toujours en vie ! dit Gryf en se relevant avec une grimace de douleur.

— Ça va, petit ? Rien de cassé ? s'inquiète le chevalier Danaël en s'adressant à Dan.

— Heu... Non, je ne crois pas !

— Quel drôle d'endroit ! s'exclame le chevalier.

— Ça ne te rappelle rien, Dana... heu, Dan ? demande Gryf.

— Oh, que si... acquiesce le Légendaire. Le repaire des zar-ikos !

— Tu crois que ce sont eux qui l'ont construit ?

Gryf interrompt Shimy en lui mettant la main devant la bouche. Deux dragonites, ces créatures aux bras énormes, déambulent dans la salle en discutant dans leur langue étrange. Les quatre compagnons ont juste le temps de se cacher derrière un pilier. Pendant ce temps, les dragonites commencent à actionner une manivelle.

— Mais qu'est-ce qu'ils font ? demande Gryf.

— Va leur demander ! se moque Shimy.

— Très drôle !

— Regardez ! Là-haut ! indique le chevalier Danaël.

Toujours emprisonnée dans son sarcophage de glace, la princesse Jadina est lentement descendue

jusqu'au centre de la salle, dans un réceptacle de bronze suspendu par des chaînes.

— Ils ne sont que deux ! dit le chevalier Danaël. Allons-y !

— Bonne idée ! approuve Dan.

— Attendez ! Quelqu'un vient de ce côté ! prévient Shimy, aux aguets. Oh, noon ! Pas elle...

La femme qui s'approche du bloc de glace est d'une beauté froide. Son épaisse chevelure noire recouvre son dos et une partie de son armure.

— On dirait que les darkhellions ont fait du beau travail, pour une fois ! Excellent ! dit-elle, un sourire maléfique sur les lèvres. La princesse Jadina et son bâton-aigle sont à nous, désormais. Et bientôt Alysia !

— Mais... C'est une femme ! s'étonne le chevalier Danaël. Vous la connaissez, les enfants ?

— Hélas, oui ! souffle Dan. Chevalier, voici votre pire cauchemar... Ténébris, la fille du sorcier Darkhell !

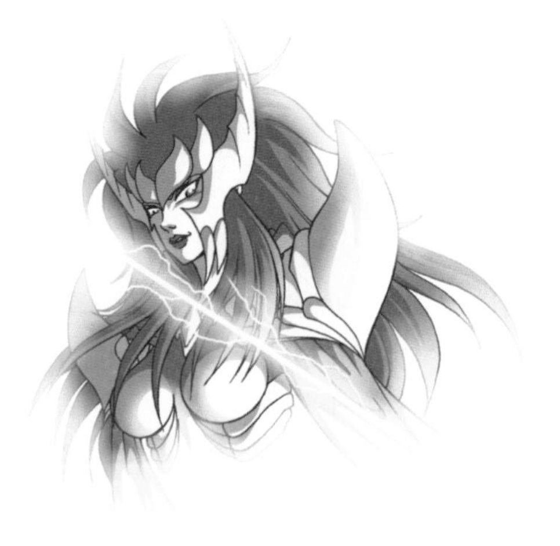

CHAPITRE 4

La fin d'un Légendaire !

À Casthell, Darkhell claque des doigts pour allumer les torches de la salle.

— Voilà qui est mieux ! déclare le sorcier noir en contemplant les quatre prisonniers. Maintenant qu'on y voit plus clair, j'aimerais que quelqu'un m'explique comment des enfants ont réussi à pénétrer dans mon antre... qui plus est, dans la salle la plus secrète du château !

Jadina se tourne vers Razzia.
— R... Razzia ?!
— Ouais ?
— Sauve qui peut !

D'un commun accord, ils s'élancent vers la sortie, suivis du prince Halan. Seul Ceydeirom ne bouge pas.

— Où croyez-vous aller ? s'agace Darkhell en lançant un sortilège. Sachez qu'en décidant de violer mon sanctuaire, vous avez choisi de placer vos vies entre mes mains !

Des dizaines de bras de pierre jaillissent du sol et retiennent les fuyards.

— Bien, vous voilà calmés et prêts à implorer ma clémence ! s'amuse le sorcier.

Puis il se tourne vers le pirate qui n'a toujours pas bougé.

— Quant à toi... tu n'as pas pris la fuite comme tes amis. Cela m'intrigue ! Explique-toi.

— C'est exactement ce que j'allais faire, grand sorcier noir, dit Ceydeirom en s'agenouillant. Pour commencer, sachez que vous avez eu raison d'immobiliser ces personnes. Car deux d'entre elles sont vos plus grands ennemis. Quant au jeune prince Halan, vous m'avez rendu service en le maîtrisant.

— Ceydeirom ! s'écrie Halan en se débattant, fou de rage. Vous... Espèce de traître ! Nous étions alliés !

Mais, contre toute attente, Darkhell saisit le pirate à la gorge et le soulève.

— Pour qui me prends-tu, misérable enfant ? Je sais à quoi ressemble le prince de Sabledoray. C'est un jeune homme de vingt ans. Qui croyais-tu berner ?

— Hurg... Nous avons voyagé avec... votre machine... la... la... Temporhell, articule Ceydeirom.

Le sorcier le lâche et se tourne vers l'autel surmonté des deux statues de cristal.

— Est-ce possible ? s'étonne-t-il. Oui... C'est la seule explication à votre présence en ces lieux. J'arriverai donc un jour à faire fonctionner ma machine ! Je suis vraiment le plus grand sorcier du monde d'Alysia !

Puis il s'approche de Jadina et de Razzia.

— Une chose, cependant, m'est encore difficile à admettre : comment est-il possible que ces deux-là soient de si dangereux ennemis ? Des enfants !

— Ne vous fiez pas à leur apparence juvénile ! l'avertit le pirate.

— Laizze tomber, Zeydeirom ! déclare Razzia en contractant ses muscles. Darkounet n'est pas convaincu ? Pas de problème ! Ze me charze de la démonztrazion !

Les mains en pierre qui le retiennent volent en éclats tandis que le Légendaire se jette sur Darkhell. Le colosse lui décoche un formidable crochet au menton, faisant exploser le masque grimaçant du sorcier.

— Ding ! Fin du premier round ! fanfaronne Razzia. Prêt pour le zecond ?

Darkhell, un instant sonné par le coup, se redresse, furieux.

— Tu es le second humain, avec ce maudit comanshawa, qui réussit à me porter un coup ! Je me suis immédiatement vengé de lui… Avec toi, je vais prendre tout mon temps !

— Razzia, nooon ! hurle Jadina alors qu'un rayon mortel jaillit des mains du sorcier.

Dans la forteresse volante, Shimy, Gryf, Danaël le Légendaire et son double plus âgé, le chevalier Danaël, espionnent Ténébris, la fille du sorcier Darkhell.

— Allez au poste de pilotage et préparez notre atterrissage à Shiar ! ordonne-t-elle aux dragonites.

Puis elle se tourne vers l'endroit où sont cachés les quatre compagnons.

— Pour ma part, je vais accueillir nos invités ! Ne soyez pas si timides ! déclare-t-elle en prenant ses lames maléfiques en main.

Les quatre compagnons, comprenant qu'ils ont été percés à jour, sortent de leur cachette.

— Dites-moi que je rêve ! s'exclame Ténébris. Est-ce là tout ce qu'Alysia a à m'opposer ? Trois mômes et un Faucon d'Argent comme baby-sitter ?

— Tu sais ce qu'ils te disent, les mômes ? réplique Shimy.

— Ancien Faucon ! précise le chevalier Danaël. Et je ne suis pas leur baby-sitter !

— Shimy ! Gryf ! Rattrapez les

deux dragonites, ordonne Dan à ses compagnons. Il ne faut pas que nous arrivions à Casthell !

— Ha ! Ha ! Que tes amis se dépêchent, alors ! se moque la fille de Darkhell. Il ne faudra pas plus de quelques minutes à l'*Hydarkos*, notre navire volant, pour arriver chez mon père !

— Dans ce cas, place au langage des armes ! déclare Dan en attaquant.

— Hé ! C'est ma réplique, ça ! proteste le chevalier en passant lui aussi à l'attaque.

Ténébris s'élance vers eux, ses lames crépitant d'une magie noire.

À Casthell, Jadina pousse un hurlement.

— Razzia !

L'éclair magique frappe le Légendaire de plein fouet et déchire son uniforme en lambeaux, en éventrant le mur derrière lui. Mais Razzia est toujours debout, chancelant.

— Arrête… de… crier ! Tu vois bien que… ze zuis… touzours là !

Le Légendaire se tourne vers le sorcier avec un sourire de défi.

— Ben alors, Darkhell ?! Dézà fatigué ? Moi, z'est… la... pleine forme.

— La seule chose qui me fatigue, c'est ton babillage ! grogne Darkhell. Mais je dois admettre que ta résistance m'impressionne.

— Je vous l'avais dit, Votre

Grandeur. Lui et ses amis sont de terribles adversaires ! intervient Ceydeirom.

— « Ses » amis ? s'étonne Darkhell. Il n'y a donc pas que ces deux-là ?

— Hé ! Hé ! Exact, mon pote ! réplique Razzia. On est zinq ! Et quand le... rezte de la bande zera là, tu vas voir la raclée... qu'on va te mettre !

— Eh bien, j'ai hâte de faire leur connaissance, dit le sorcier. Mais je crains que tu ne sois plus des nôtres quand cela se passera.

La boule d'énergie qui grandit entre ses mains décharnées foudroie le Légendaire, trop épuisé pour esquiver. Pourtant, quand la lumière du sortilège se dissipe, Razzia tient toujours sur ses jambes.

— Imp... impossible ! balbutie Darkhell, impressionné par la résistance de son adversaire. Il... il est toujours... debout !

Même Ceydeirom reste bouche bée.

— T'as vu za, Zadina ?! demande Razzia.

— J'ai vu ! Tu es incroyable ! Est-ce... que ça va ?

— Même pas maaaaaaal...

Razzia s'effondre sur le sol, terrassé. Jadina comprend que son ami est mort. Elle éclate en sanglots.

CHAPITRE 5

Un atterrissage forcé

Alors que Razzia tombe, au-dessus de Casthell, la forteresse volante de Ténébris se rapproche. Les deux dragonites qui s'occupent du pilotage préparent la manœuvre d'atterrissage en basculant une série de leviers. Soudain, on frappe à la porte du sas. Le pilote reconnaît deux de ses semblables à travers le judas. Mais quand il leur ouvre, les dragonites tombent face contre terre, dévoilant la présence de Gryf et de Shimy.

— Heu... c'est bien ici le poste de pilotage ? demande l'enfant-fauve. Parce que, voyez-vous, j'ai promis à mon amie que je la laisserais jouer avec les commandes ! J'espère que ça ne pose de problème à personne ?

— Laisse tomber, Gryf, et essayons un langage plus… universel ! réplique l'elfe en frappant le pilote, stupéfait.

Dans la salle d'envol, Ténébris a vaincu ses deux adversaires, maintenant à terre.

— Eh bien ? C'est tout ? se moque la guerrière. Je suis vraiment déçue ! Vous ne voulez plus sauver la princesse Jadina ?

Tandis qu'elle s'avance pour en finir, une détonation retentit dans la forteresse volante. Celle-ci se met

à tanguer dangereusement et perd rapidement de l'altitude.

— Que... ? Une explosion !! À bord de mon vaisseau ? s'écrie Ténébris, paniquée.

— Ce doit être mes copains qui font joujou au poste de pilotage ! la nargue le jeune Danaël. Ne soyez pas sévère ; après tout, on n'est que des mômes !

— Mais quels idiots ! s'écrie-t-elle. Tout ce que vous allez réussir à faire, c'est nous écraser !

Dans le château, Jadina ne peut détacher ses yeux du corps inerte de Razzia. De grosses larmes coulent sur ses joues.

— Pardonne-moi, Dina ! la supplie Halan. Ça ne devait pas se passer comme ça ! Je voulais juste... reconquérir ton amour... Comprends-moi ! Le chevalier Danaël t'avait enlevée à moi, et... dans ma vie, j'ai toujours eu ce que je...

— Tu me dégoûtes, Halan ! réplique la princesse, folle de rage. Tu n'es qu'un sale gamin égoïste ! Tu parles d'amour sans même en comprendre le sens ! Conquérir, prendre, tu ne connais que ces mots ! L'amour, le vrai, se mérite ! Ce n'est pas un trophée ! Toi, qu'as-tu déjà mérité dans ta vie ? De ma part, une seule chose... mon dégoût !

Darkhell s'approche de la magicienne, avant de se figer sur place. L'instant d'après, une formidable explosion secoue la citadelle, et la forteresse volante de Ténébris enfonce le mur du laboratoire. Le sol se fissure, et le plafond s'effondre, engloutissant tout le monde sous les débris.

Malgré sa douleur, Jadina rampe jusqu'au corps de Razzia, mais le colosse ne respire plus. Darkhell écarte l'énorme pierre qui a roulé sur lui et se redresse en contemplant la forteresse volante échouée.

— L'*Hydarkos* ?! Il s'est écrasé sur Casthell ! Mais... comment ?

Une silhouette titubante émerge de la proue. Il reconnaît sa fille, le visage couvert d'égratignures.

— Ténébris ?

— Je n'ai pas pu les en empêcher, père.

La guerrière trébuche et s'effondre.

À travers les murs détruits de la forteresse volante, Dan contemple les tours de Casthell.

— Hé ! Petit ! l'interpelle le chevalier Danaël. Aide-moi ! Le crash a libéré la princesse de la glace, mais elle est encore gelée.

Le guerrier tient la magicienne inconsciente dans ses bras.

— La chaleur de la lave à proximité va la réchauffer, répond Dan.

Attendez qu'elle se réveille et quittez cet endroit avec elle !

— Mais... et toi ?

— Je vais veiller à ce qu'on ne vous dérange pas ! Vous avez beaucoup de choses à vous dire, vous et la princesse.

— Je n'ai pas compris tout ce qui s'est passé... avoue le chevalier Danaël. Mais merci pour le coup de main ! Est-ce qu'on se reverra un jour ?

— Qui sait de quoi l'avenir sera fait... ?

Dans la salle de la Temporhell, Darkhell tient sa fille contre lui.

— Ténébris ! Reprends connaissance ! la supplie-t-il. Dis-moi qui a fait ça ! Qui est responsable de ce...

— Désastre ? l'interrompt Gryf. Fiasco ? Peu importe le terme, je crois

qu'on y est pour quelque chose ! Pas évident de manœuvrer cet engin sans mode d'emploi, tu sais ?

— Pas vraiment ravis de te revoir, Darkhell ! dit Shimy à côté de l'enfant-fauve.

— Encore des enfants ? s'agace le sorcier noir. Vous devez être les amis de ce garçon grassouillet à qui j'ai réglé son compte !

Les deux Légendaires regardent autour d'eux. Ils aperçoivent leur compagnon au fond de la salle. Jadina est effondrée sur le torse de Razzia.

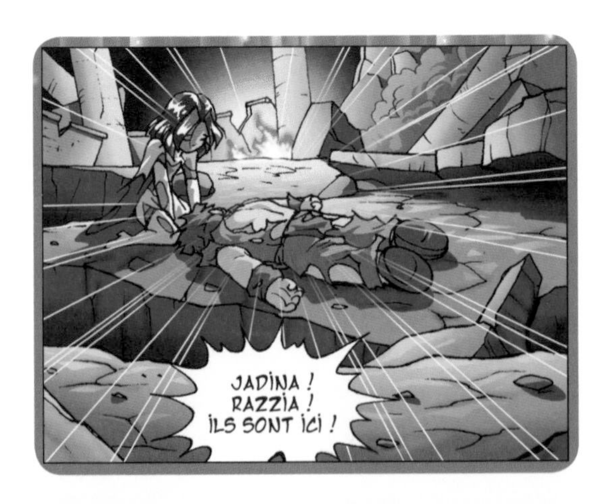

— Jadina pleure ! murmure Gryf, le cœur serré.

— Razzia... il ne bouge plus ! s'écrie Shimy, bouleversée. Non ! Il... il est... mort.

— Et vous allez le rejoindre ! crie Darkhell en leur lançant un sortilège destructeur.

L'explosion sort Jadina de sa torpeur.

— Gryf ? Shimy ?

— Tes amis sont venus te sauver, lui dit Halan qui a réussi à s'extraire à son tour des décombres. Je ne vois pas le chevalier Danaël, mais il ne doit pas être très loin !

— Tu es encore là ? lui lance la magicienne, méprisante.

— Je peux les aider si tu le désires ! Tu n'as qu'un mot à dire pour me montrer que j'ai de l'importance pour toi !

Mais la princesse se détourne. Halan hausse les épaules, amer.

— Très bien ! Partage donc le sort de tes compagnons… Moi, je préfère rester en vie !

Il s'éloigne et pénètre dans la forteresse volante par un trou dans la coque, espérant y trouver un moyen de quitter Casthell.

Autour de lui, tout n'est que ruine. Des darkhellions et des dragonites sont étendus dans les couloirs. La plupart sont morts pendant le crash,

d'autres ont été battus par les Légendaires. Soudain, il entend une voix qu'il reconnaît aussitôt. Il grimpe sur un tas de pierres qui surplombe une grande salle. La princesse Jadina, adulte, a repris conscience.

— Comment vous sentez-vous, princesse ? s'inquiète le chevalier Danaël en la soutenant.

— Oh ! En dehors d'une horrible migraine, pas trop mal, je pense !

— Ça va aller ! Restez bien tranquille ! la rassure l'ancien Faucon d'Argent.

— Que s'est-il passé ? La dernière chose que je me rappelle, c'est ce monstre qui m'a craché dessus un truc visqueux... et la glace a commencé à me couvrir et... Oh, mais... Est-ce que je vous dois la vie ?

— Disons que... j'ai participé !

Je suis le chevalier Danaël… pour vous servir, princesse !

La magicienne sourit, séduite par le guerrier.

Sur le monticule de pierres, Halan se détourne, comprenant qu'il ne peut aller contre le destin. Son chagrin est immense.

CHAPITRE 6

Jadilyna

À l'intérieur de Casthell, Gryf et Shimy sont malmenés par Darkhell. Ils parviennent à esquiver les premières attaques, mais ils se retrouvent rapidement dos au mur. L'éclair maléfique les projette violemment contre la paroi. Ils tombent à terre, anéantis. Jadina, qui se portait à leur secours, est arrêtée à son tour par la magie destructrice du

sorcier noir. Elle roule sur le sol, le bras brûlé.

— Shimy ! Gryf ! sanglote Jadina. Sois maudit, Darkhell ! Si j'avais… mon bâton magique… je...

— Vous me fatiguez, avec vos belles paroles, s'impatiente le sorcier. Un combat se gagne... avec des actes !

Il s'apprête à lui porter le coup de grâce, mais Dan vient alors faire rempart de son propre corps. Le coup l'atteint en pleine poitrine, mais il résiste.

— Tu ne... la toucheras... pas !

— Danaël ! s'écrie Jadina.

— Mais... il y en a combien d'autres, encore ? marmonne le sorcier d'un ton exaspéré.

— Au moins un de plus ! hurle Halan en sautant sur Darkhell, totalement pris au dépourvu.

Le prince tient quelque chose

dissimulé dans son poing. Quelque chose qu'il écrase sur le torse de Darkhell.

— De la morve de darkhellion ! hurle le sorcier. Nooon ! Pas ça !

— Jadina ! Tu as vu ? J'ai fait ça pour toi ! lance Halan pendant que le sarcophage de glace l'emprisonne avec Darkhell. Tu trouves toujours que je ne suis qu'un sale gamin égoïste ?

— Halan ! s'écrie la princesse.

Mais il est déjà trop tard. Le prince et le sorcier sont pétrifiés.

— La glace ne retiendra pas Darkhell très longtemps, dit Danaël à Jadina. Il faut que tu partes vite.

— Hein ? Mais... et toi ? s'étonne la magicienne.

— Je t'aime, Jadina ! Je t'aime, et ceci depuis le premier jour.

Le chevalier à l'épée d'or titube, pose un genou au sol et tombe face contre terre, terrassé par le sortilège de destruction.

— Danaël... DANAËL ! hurle Jadina en le serrant dans ses bras. Moi aussi... je t'aime... Danaël !

Elle ne voit pas Ceydeirom, resté caché pendant les combats, qui sort d'un coin sombre et s'approche d'elle.

Il lève la main vers elle, menaçant, mais, au même moment, une force

ancienne prend possession du corps de Jadina. Des éclairs parcourent son corps, et une explosion d'énergie détruit la griffe de combat de Ceydeirom. Le pirate recule devant la furie qui se dresse devant lui.

La douce princesse Jadina a disparu. À sa place se tient une terrifiante guerrière ailée, revêtue d'une armure émeraude. Elle attrape Ceydeirom par le cou et le soulève à bout de bras.

— ASSEZ ! Assez ! s'écrie-t-elle. Le sang qui coule dans mes veines, celui de mon ancêtre, en a assez ! Jadina a fait place à Jadilyna ! Si tu tiens à ta vie misérable, tu vas régler la Temporhell sur les deux dates que je vais t'indiquer !

— Je... Je ne demande pas mieux, mais la machine est ensevelie sous les décombres et...

ASSEZ !! LE SANG DE MON ANCÊTRE QUI COULE DANS MES VEINES EN A ASSEZ !!
JADINA A FAIT PLACE À JADILYNA !!!

— Aucun souci !

Jadilyna fait un geste de la main, et les tonnes de roches tombées sur l'autel sont dégagées.

— Mais... il faut également une source d'énergie, dit le pirate qui n'en croit pas ses yeux.

En réponse, la guerrière lève un doigt. La Temporhell s'illumine, et un passage s'ouvre.

— Autre chose ? demande-t-elle sur un ton menaçant.

— ... Je crois que ça ira !

Jadilyna lâche le pirate qui règle la machine en suivant ses instructions.

— Voilà ! déclare Ceydeirom au bout de quelques minutes. La machine est réglée sur les deux dates que vous vouliez. Mais pourquoi la première ? Pourquoi 60 000 ans dans le futur ?

— Ce n'est pas pour moi, c'est pour toi !

— Non, pitié ! Ne faites pas ça ! la supplie le pirate. Ne m'envoyez pas dans le temps !

— Mes amis sont morts par ta faute ! Remercie le ciel que je me contente de t'envoyer là où tu ne pourras plus faire de mal !! Et ne compte pas sur la Temporhell pour revenir, car je l'aurai détruite. Je ne te souhaite pas bonne chance ! conclut Jadilyna en le projetant à travers le vortex magique.

— NOOOOOOON !

Avant de traverser à son tour le passage, la magicienne se tourne une dernière fois vers le chevalier qui s'est sacrifié pour elle.

— Danaël, mon amour ! Je viens te sauver !

Puis elle s'engage dans le tourbillon de la Temporhell. Mais alors qu'elle s'enfonce de plus en plus

profondément dans les méandres du temps, elle perçoit d'autres présences qui viennent en sens contraire.

— On dirait... Non... ce n'est pas possible ! s'exclame-t-elle.

Elle doit se rendre à l'évidence : ceux qui viennent à sa rencontre sont les Légendaires et le prince Halan. Soudain, elle comprend.

— La silhouette qui nous a percutés quand nous pourchassions Ceydeirom... c'était moi ! J'ai cru

que c'était l'esprit de Jadilyna, mais en fait c'était moi… transformée en Jadilyna !

— Hé ! C'est quoi, ce truc qui nous fonce dessus ? dit Gryf en désignant la silhouette ailée de la magicienne.

Jadilyna heurte le groupe, comme la première fois.

— Aaah ! Z'ai lâché Shimy ! panique Razzia en laissant échapper la cheville de Shimy.

Désolée, mes amis ! pense la magicienne. *Mais je suis obligée de faire ça*

si je veux avoir une chance de vous sauver par la suite ! Car ce sont les circonstances de notre séparation qui m'ont conduite à devenir Jadilyna. Et c'est comme ça que j'ai pu activer la Temporhell...

Enfin, elle parvient au terme de son périple. En sortant du vortex d'énergie, elle se retrouve face à la Temporhell.

— Je suis arrivée ! Et si je suis bien à la date prévue, le capitaine Ceydeirom ne découvrira pas la Temporhell avant un mois ! Un mois seulement pour déclencher cette tragédie. En détruisant cette machine maintenant, tout le mal qu'elle a causé n'aura jamais lieu.

Son bras se nimbe d'énergie, et elle dirige la paume de sa main vers l'autel.

— Tout repose sur moi ! Sur ma main ! Sur la main du futur !

Disparais, maudite machine ! Et rends-moi mes amis !

La Temporhell explose.

Aussitôt, tout devient flou autour de la magicienne. Le temps se fragmente, puis se reconstitue pour retrouver un ordre naturel.

Projetée à travers une multitude d'univers parallèles qui se succèdent, Jadina perd conscience...

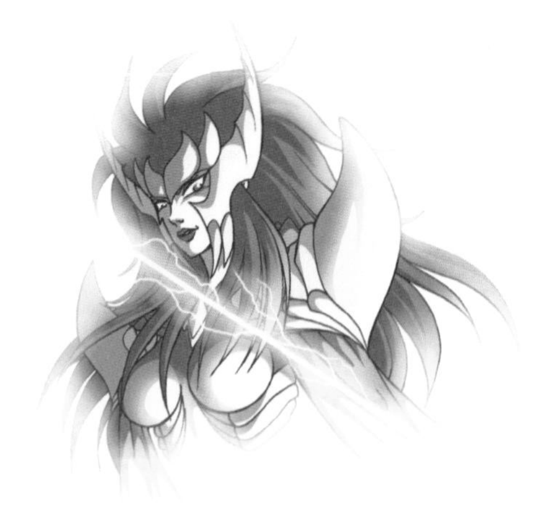

CHAPITRE 7

Un air de déjà-vu...

La magicienne ouvre les yeux. Danaël la tient dans ses bras.

— Jadina ? s'inquiète-t-il. Qu'est-ce qui t'arrive ?

— Hum... Rien du tout ! répond-elle en se redressant. Juste un étourdissement... je crois !

Elle sent dans sa main le poids rassurant de son bâton-aigle. Elle a l'impression d'avoir oublié quelque

chose d'important, mais impossible de savoir quoi...

— Tu en es certaine ? insiste le chevalier avec bienveillance. Parce que le Boofankor remet ça, et on va avoir besoin de toi pour le vaincre !

— Alors ? Vous vous dépêchez, tous les deux ? s'impatiente Gryf.

— Le... Boofankor ? répète Jadina, désorientée.

Un rapide coup d'œil l'aide à remettre ses souvenirs en place… Elle est sur le ponton du village de Pikouli, en plein combat. Et l'énorme créature s'apprête à charger !

— Ben oui, le Boofankor ! Le monstre qu'on nous a demandé d'exterminer ! dit Danaël. Tu es sûre que ça va ?

Jadina regarde autour d'elle. Ses yeux se posent sur une haie, comme si elle s'attendait à ce que quelqu'un en jaillisse. Mais rien ne se passe. Sans en connaître la raison, elle se sent soulagée.

— Pourquoi tu regardes ces arbres comme ça ? s'étonne Danaël.

— Je ne sais pas ! avoue-t-elle. Une impression de... de déjà-vu ! Mais peu importe… On est là pour régler son compte à un monstre, non ? En avant, Légendaires !

ALORS...
... EN AVANT, LÉGENDAIRES !!!

Ses compagnons se réunissent autour d'elle, et ensemble ils se lancent dans le combat !

Mais peut-être vous demandez-vous ce qu'il est advenu du capitaine Ceydeirom, envoyé 60 000 ans dans le futur ? Eh bien, on peut dire que, d'une certaine manière, il est devenu encore plus célèbre qu'il ne l'était à son époque !

— Je vous ordonne de me libérer, misérables macaques ! hurle le pirate en secouant les barreaux de sa cage. Avez-vous une idée de qui je suis ?

— Mesdames et messieurs, contemplez cet humain doué de la parole ! clame le gardien du zoo, un imposant gorille armé d'un bâton.

Une foule de singes se presse pour voir l'humain, dernier représentant d'une race éteinte depuis des siècles.

Eh oui, dans 60 000 ans, Ceydeirom sera bien le dernier humain sur cette terre du futur dominée par les singes ! Et il deviendra l'attraction principale d'un des plus grands zoos de la planète !

ZOO
JE VOUS ORDONNE DE ME LIBÉRER, MISÉRABLES MACAQUES !! AVEZ-VOUS UNE IDÉE DE QUI JE SUIS ?
IL EST INTERDIT DE NOURRIR L'HUMAIN
HUMANUS BAVARDUS
SPÉCIMEN UNIQUE
UN SOURIRE !
TIENS-TOI TRANQUILLE, ORKO !
MESDAMES ET MESSIEURS, CONTEMPLEZ CET HUMAIN DOUÉ DE LA PAROLE !
MAMAAAN ! JE VEUX VOIR L'HUMAIN QUI PARLE !
PEUH ! C'EST TRUQUÉ !
FIN DE L'ÉPISODE.

RETROUVE LA PROCHAINE AVENTURE DES LÉGENDAIRES DANS LE TOME 7

LA MENACE DES DIEUX

Aube et Crépuscule, dieux de la création et de la destruction, descendent sur Terre pour prévenir les Légendaires : ils ont quinze jours pour réparer l'accident Jovénia... ou Alysia disparaîtra à jamais ! Pour éviter cela, les cinq héros doivent se rendre dans la cité secrète des jaguarians, le peuple de Gryf...